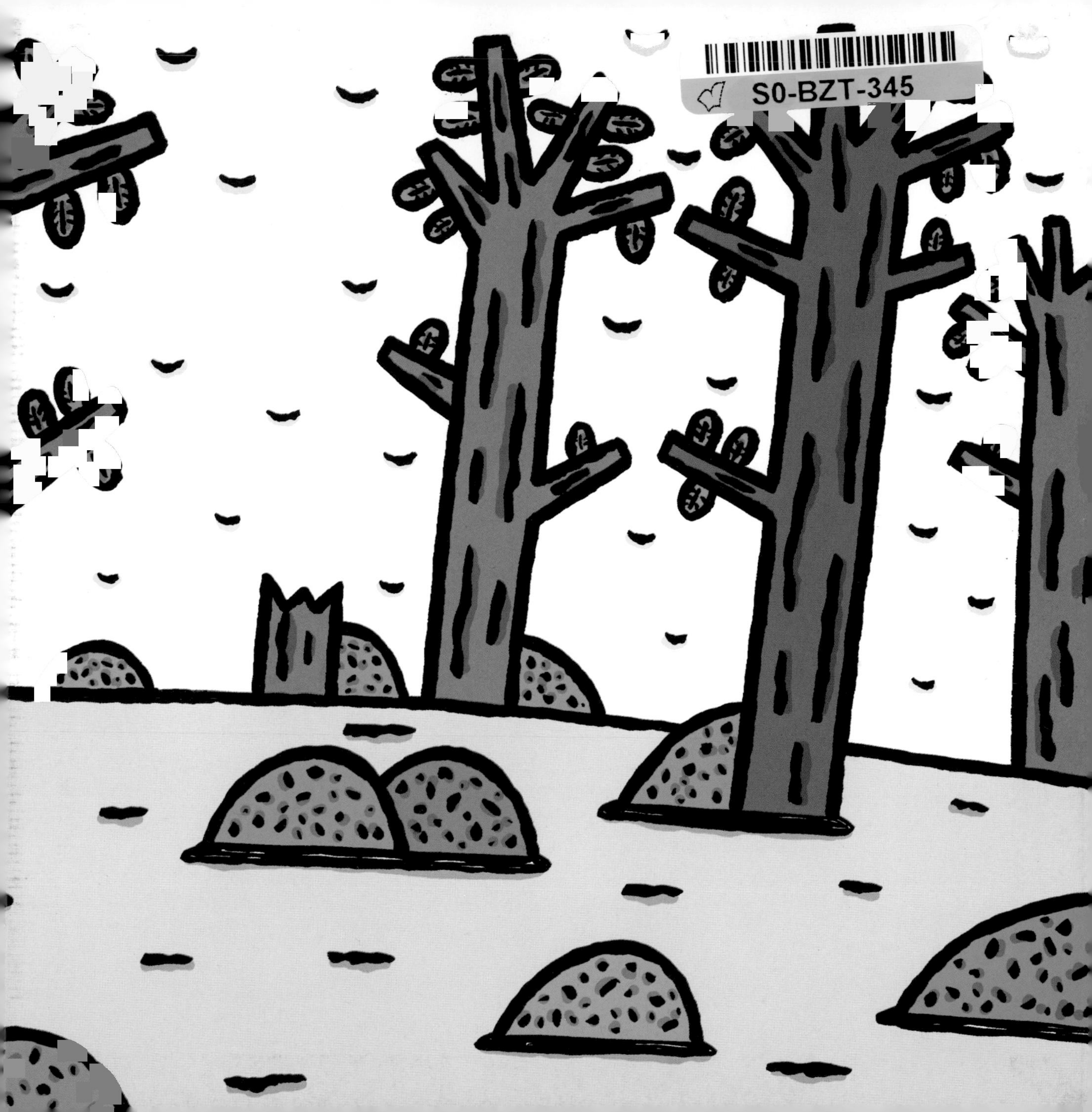

宫西达也（MIYANISHI, Tatsuya）

1956年生于日本的静冈县，毕业于日本大学艺术学部美术学科，开始从事人偶剧的舞台美术和平面设计工作，后来进行绘本创作。

他从自己的童年记忆和育儿经验中获取创作灵感，使得作品充满了儿童天真的趣味，并以温馨诙谐的故事和有力度的画风独树一帜。创作的同时，他还致力于绘本的推广工作，几乎走遍日本的每一个县，为孩子和家长做绘本的演讲。

《你看起来好像很好吃》、《我是霸王龙》、《你真好》（二十一世纪出版社）已在国内翻译出版。此外，他所创作的《今天运气多好》（获讲谈社出版文化奖绘本奖）、《爸爸是赛文奥特曼》、《你看起来好像很好吃》（均获剑渊绘本乡绘本奖大奖），《永远永远爱你》、《好饿的狼和猪的小镇》和《一只猪和一百只狼》等作品也在日本颇受欢迎。

版权合同登记号：14—2007—025

蒲蒲兰绘本馆 好饿的小蛇
[日] 宫西达也 文／图 彭 懿 译

责任编辑：杨文敏（美术） 熊 炽（文字）
出版发行：二十一世纪出版社（南昌市子安路75号）
出 版 人：张秋林
经 销：新华书店
印 制：鸿博昊天科技有限公司
版 次：2007年5月第1版 2017年10月第21次印刷
开 本：889mm×1194mm 1/24
印 张：1.5
书 号：ISBN 978-7-5391-3750-6-01
定 价：26.00元

咕嘟！
还是

张开大嘴……

然后……

扭来扭去
爬上树，

这回，
它发现了
一棵结满红苹果的树。
你猜猜，
好饿的小蛇
会怎么样？

第六天，
好饿的小蛇
扭来扭去
又在散步……

啊呜——咕嘟！
啊——真好吃。

它发现了
一个带刺的菠萝。
你猜猜，
好饿的小蛇
会怎么样？

第五天，
好饿的小蛇
扭来扭去
在散步……

啊呜——咕嘟！
啊——真好吃。

它发现了
一串紫色的葡萄。
你猜猜，
好饿的小蛇
会怎么样？

第四天，
好饿的小蛇
扭来扭去
在散步……

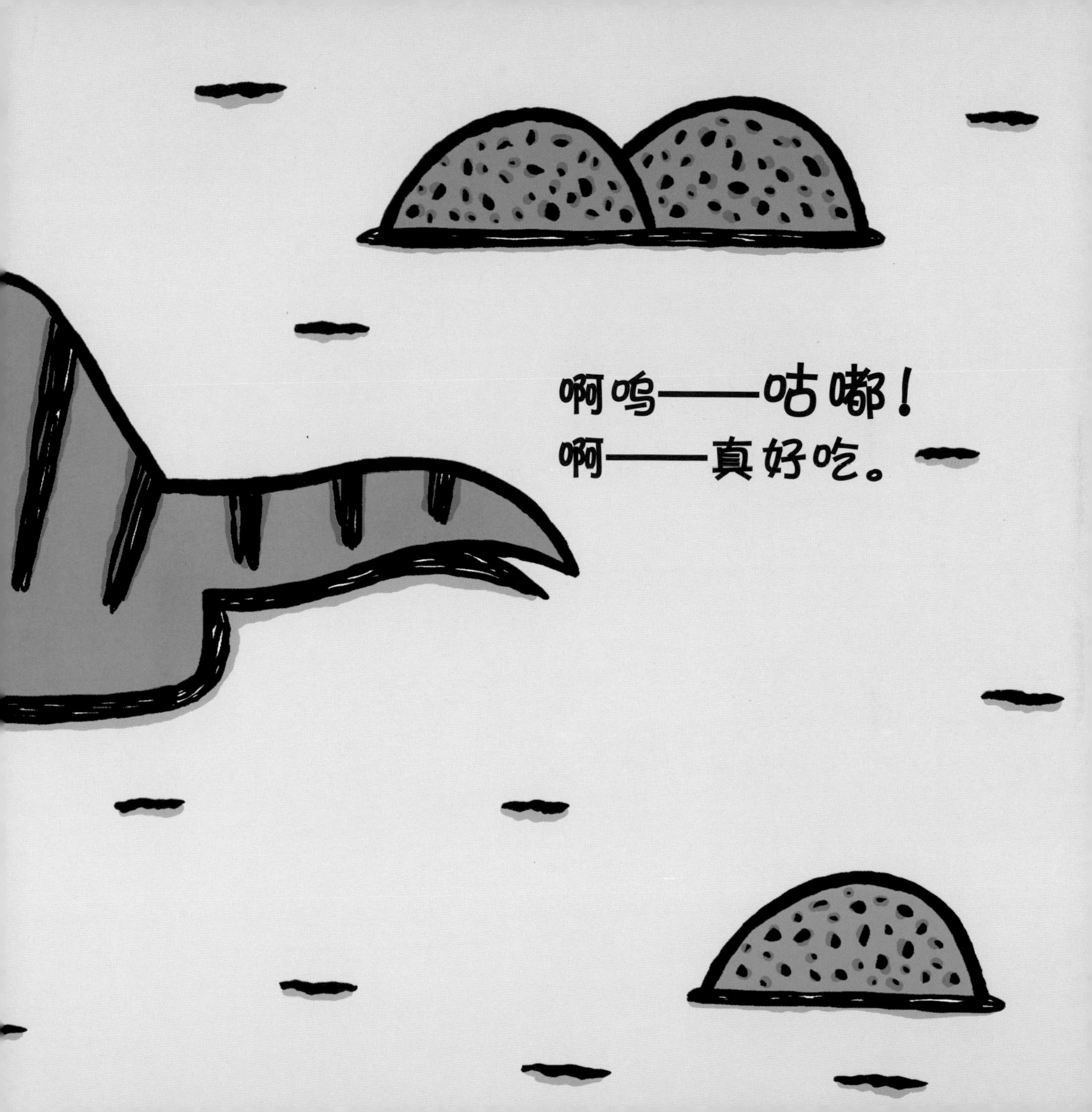
啊呜——咕嘟！
啊——真好吃。

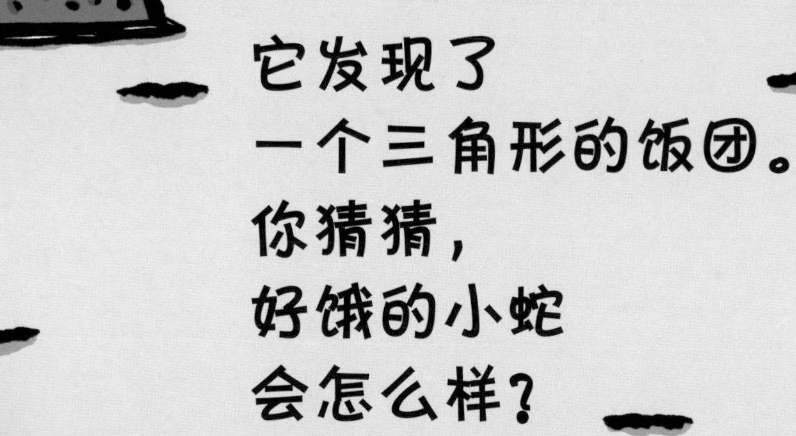

它发现了
一个三角形的饭团。
你猜猜，
好饿的小蛇
会怎么样？

第三天，
好饿的小蛇
扭来扭去
在散步……

啊呜——咕嘟！
啊——真好吃。

它发现了
一根黄色的香蕉。
你猜猜，
好饿的小蛇
会怎么样？

第二天，
好饿的小蛇
扭来扭去
在散步……

啊呜——咕嘟！
啊——真好吃。

它发现了
一个圆圆的苹果。
你猜猜，
好饿的小蛇
会怎么样？

好饿的小蛇
扭来扭去
在散步……

好饿的小蛇

宫西达也 文／图
彭懿 译